Les auteurs remercient Nadeije Laneyrie-Dagen,
maître de conférence en histoire de l'art à l'École normale supérieure

© Bayard Éditions, 1999
3, rue Bayard, 75008 Paris

ISBN : 2.227.60238.4
Dépôt légal : septembre 1999

Marie Bertherat • Marie-Hélène Delval

La Bible
racontée par les peintres

BAYARD ÉDITIONS

Dans ce livre, tu vas découvrir des histoires racontées en images par des grands maîtres de la peinture. Les héros de leurs histoires – Adam, Ève, Noé, Abraham... – sont très connus, car ils appartiennent au monde de la Bible. C'est l'un des plus anciens et le plus lu de tous les livres du monde.

Merci à Marie Bertherat, qui a eu la bonne idée d'imaginer ce projet et de nous faire entrer dans l'univers des peintres, et à Marie-Hélène Delval, qui l'a accompagnée dans la lecture des récits bibliques.

Adam et Ève

Regarde, Ève a déjà croqué le fruit,

il y a la marque de ses dents sur la pomme bien rouge. Elle a goûté le fruit d'un arbre interdit par Dieu.

Ève sourit et regarde Adam. Elle lui offre la pomme. L'homme se gratte la tête. Il s'interroge : va-t-il lui aussi y goûter ? Ève lève un bras, avance une jambe, se déhanche. Elle veut attirer Adam pour qu'il mange la pomme.

L'arbre aux fruits défendus est au milieu du jardin du paradis. Il divise le tableau en deux. À gauche, autour d'Adam, tout est paisible. La biche, le cerf et l'agneau se reposent tranquillement. À droite, derrière Ève, les animaux commencent à s'inquiéter. Le lion se replie sur lui-même. Le sanglier recule. Le cheval s'enfuit. Une brindille du pommier s'est desséchée. Au fond, un des arbres qui ferme le paradis est mort. Ses branches sans feuille se découpent dans le ciel. Ève a désobéi à Dieu : la mort arrive sur la terre.

Heureusement, un jour viendra Jésus, celui qui sauve la création de la mort. Le peintre a semé des indices qui l'annoncent : l'agneau, les grappes de raisin et l'arbre en forme de croix. Le Christ sera sacrifié, comme un agneau. Son corps sera cloué sur une croix. Son sang coulera, rouge comme le jus de raisin, devenu vin.

Les petits secrets du peintre

La Bible ne dit pas l'espèce de l'arbre défendu, mais beaucoup d'artistes ont peint un pommier. Cette tradition date de l'époque où l'on parlait le latin dans les églises. En latin, « pommier » et « mal » se disent tous deux *malum*.

Au paradis, Adam et Ève vivaient tout nus, mais le peintre n'a pas voulu choquer les gens de son époque. Il a peint une petite feuille pour cacher leur nudité.

Adam et Ève

Lucas Cranach l'Ancien
Peintre allemand
Kronach 1472 - Weimar 1553

1526, huile sur bois
117 x 80 cm
Courtauld Institute Galleries, Londres

L'histoire d'Adam et Ève

Dieu dit à l'homme : – Tu peux manger les fruits de tous les arbres du jardin. Mais les fruits de l'arbre qui fait connaître le bien et le mal, n'en mange pas, sinon, tu mourras.

Dieu vit que l'homme était seul, et ce n'était pas bien. Alors Dieu endormit l'homme d'un profond sommeil. Il prit un de ses côtés et il en façonna une femme. Quand l'homme vit la femme, il s'écria : – Oui, celle-ci est ma femme, ma compagne !

Le serpent était un menteur. Il dit à la femme :
– Ainsi, Dieu vous a défendu de manger les fruits des arbres !
La femme répondit :
– Nous mangeons les fruits des arbres. Mais pour l'arbre
qui est au milieu du jardin, Dieu nous a dit : « N'y touchez pas !
si vous en mangez, vous mourrez. »
– Vous ne mourrez pas, dit le serpent. Mais vous connaîtrez
le bien et le mal, et vous serez comme des dieux !
Les fruits de l'arbre étaient tentants. La femme en prit un,
elle le mangea. Elle en donna un à l'homme, et il le mangea.
Alors ils virent qu'ils étaient nus.

Dieu maudit le serpent qui les avait trompés. Puis il fit à l'homme et à la femme des tuniques de peau pour les couvrir, et il les chassa du jardin. Adam, l'homme dont le nom signifie « Venu de la terre », s'en alla avec sa femme. Il l'appela Ève, la Vivante, parce qu'elle est la mère de tous les vivants.

L'entrée dans l'arche

Quelle fantastique collection d'animaux !

Rhinocéros de Java, oryx d'Afrique de l'Est, ara de Macao, grand butor, paradisier de Papouasie, presque toutes les espèces de la création sont réunies. Comme toutes ces bêtes sont sages ! Aucune d'entre elles ne cherche à se battre ou à dévorer son voisin. Au contraire, les animaux se suivent docilement, groupés deux par deux, le mâle et la femelle. Noé, qui accompagne le défilé, n'a pas besoin de son bâton pour les faire avancer.

Où vont donc toutes ces bêtes ? Elles se dirigent vers l'arche que l'on aperçoit au loin, toute petite au bout du chemin. Même les oiseaux ont commencé à se glisser à la queue leu leu à travers la petite fenêtre percée dans le toit du bateau.

Dans le ciel, les nuages gris s'accumulent. Bientôt il pleuvra. Trois paysans se sont rassemblés sous un arbre pour se protéger des gouttes. Ils sont trop bien vêtus, mais ce tableau a sans doute été commandé par un homme riche qui veut décorer son salon. Alors le peintre doit faire joli !

En attendant la fin de l'orage, les paysans regardent tranquillement la procession des animaux. Ont-ils compris ce qui se passait ? Non, car ils ne font pas un geste pour rejoindre Noé. Ils ne savent pas que la pluie va devenir déluge et les noyer. Ils n'ont pas entendu la parole de Dieu.

Les petits secrets du peintre

Comme ce paysage semble vaste ! Le peintre a bien rusé. Le chemin fait des courbes pour paraître plus long.
Les couleurs sont vives au premier plan, puis pâlissent et bleuissent. Comme lorsque l'on regarde au loin.

Il n'y avait pas encore de zoos à l'époque où fut peint ce tableau. L'artiste s'est inspiré de dessins d'animaux exotiques rapportés d'Afrique ou d'Asie par les explorateurs. Il a aussi dû copier des animaux empaillés.

L'entrée dans l'arche

Isaak Van Oosten
Peintre flamand
Anvers 1613 - 1661

Date inconnue, huile sur toile
43,2 x 57,2 cm
Musée des Beaux-Arts, Rennes

L'arche de Noé

Les hommes étaient devenus nombreux. Et Dieu vit qu'ils étaient méchants. Il regretta de les avoir mis sur la terre. Dieu se dit : « Je vais faire tomber un déluge pour effacer tout ce que j'ai fait. »

Il y avait pourtant un homme bon. Il s'appelait Noé.

Dieu dit à Noé :

– Tu vas construire un grand bateau de bois,

tu le couvriras d'un toit.

Tu y entreras avec ta famille.

Tu feras monter aussi dans cette arche

un couple de chacun des animaux,

les bêtes qui marchent et qui rampent

et les oiseaux qui volent.

Car je vais faire tomber la pluie sur la terre

pendant quarante jours et quarante nuits.

Noé fit ce que Dieu lui demandait.

Il construisit l'arche, il y fit entrer sa famille

et tous les animaux.

Et Dieu ferma la porte derrière lui.

Les eaux du déluge recouvrirent la terre. Tout ce qui était vivant mourut. Après des jours et des jours, Dieu se souvint de Noé. Quand la terre fut sèche, Noé sortit de l'arche avec sa famille et tous les animaux. Alors Dieu promit que plus jamais il ne détruirait la terre à cause de la méchanceté des hommes.

Et Dieu mit son arc-en-ciel au milieu des nuages, en signe de son alliance avec tous les vivants.

La tour de Babel

Regarde cette énorme tour en construction.

Elle atteint déjà les nuages. À côté d'elle, tout semble minuscule : les bateaux, les maisons, et même le château bâti au bord de l'eau. Partout des ouvriers s'activent. Certains creusent la montagne avec des pics, d'autres hissent et transportent les blocs de pierres. D'autres encore récupèrent le matériel qui vient d'être livré par bateau. Toutes sortes de machines sont mises à contribution : des poulies, et même une grue actionnée par une roue à pédale. Peu à peu, la tour prend sa forme d'escargot.

Le roi Nemrod, l'architecte de la tour, est venu inspecter les travaux. Drapé dans sa cape bleue, il avance majestueusement. Dans sa main droite, il tient serré son sceptre en argent. Les ouvriers s'agenouillent sur son passage, comme s'ils se prosternaient devant Dieu.

Mais, justement, Nemrod n'est pas Dieu ! Regarde comme sa tour penche sur la gauche et s'enfonce dans la terre. Et il reste tellement à faire pour la terminer : tant de roches à tailler, de trous à combler, de murs à monter ! Les minuscules ouvriers auront beau s'agiter, ils ne viendront sans doute jamais à bout de leur tâche. Cette tour qui monte jusqu'au ciel, c'était un projet trop ambitieux.

Les petits secrets du peintre

Bruegel s'est glissé dans l'un des chantiers de la ville d'Anvers, où il habitait, et a observé les ouvriers.
Sur son petit carnet de croquis, il a noté les détails de leurs vêtements, leurs outils, leurs machines.

Cette tour ressemble au Colisée, un monument en forme d'escargot qui se trouve à Rome. Le peintre l'a pris pour modèle, car c'est dans ce théâtre, construit au Ier siècle, que furent massacrés les premiers chrétiens.

16

La tour de Babel

Pieter Bruegel
Peintre flamand
Breda 1528 - Bruxelle 1569

1563, huile sur bois
114 x 155 cm
Kunsthistorisches Museum, Vienne

La tour de Babel

Après le déluge, les fils de Noé, Sem, Cham et Japhet, eurent à leur tour de nombreux enfants. Nemrod, un petit-fils de Cham, devint un grand roi. Les hommes se répandirent sur toute la terre. Ils étaient un seul peuple et ils parlaient tous la même langue.

En marchant avec leurs troupeaux, il découvrirent en Orient une grande plaine où ils pourraient habiter.

Les hommes se dirent :
– Fabriquons des briques,
cuisons-les au four et construisons des murs.
Nous allons bâtir une ville
avec une tour si haute qu'elle touchera le ciel.
Elle sera la Porte du Ciel.
Alors, nous serons grands, nous serons puissants !
Dieu descendit pour voir la ville et la tour
que les homme bâtissaient.
Il se dit :
« Comme ils se croient grands et forts !
Mais pourquoi veulent-ils percer le ciel
au lieu d'habiter la terre,
tous les pays de la terre que je leur ai donnés ?
Allons, descendons et brouillons leurs langues ! »

Alors Dieu mélangea les langues des hommes. Ils ne se comprenaient plus. Ils cessèrent de bâtir. Babel ne s'appela plus « Porte du Ciel », mais « la Mélangée ». Dieu dispersa les hommes pour qu'ils deviennent des peuples nombreux à la surface de la terre.

Le sacrifice d'Abraham

Regarde ce garçon allongé sur le sol ;

il est presque nu et la lumière qui tombe du haut du tableau éclaire sa peau blanche. Ses bras sont attachés dans son dos. Il est sans défense.

Abraham, le vieil homme à barbe blanche, a tout pouvoir sur lui. Avec sa main gauche, il dégage le cou du garçon. Il s'apprête à lui trancher la gorge avec son poignard à lame courbe. Le geste du vieillard est ferme. Pourtant, ce garçon qu'il va égorger, c'est son fils, Isaac.

Le garçon ne réagit pas. Il pourrait se débattre, donner des coups de pied. Peut-être n'ose-t-il pas ? Peut-être n'a-t-il pas vraiment compris ce qui se passait ? Abraham a couvert le visage d'Isaac avec sa grande main pour qu'il ne puisse voir le couteau. Le peintre nous cache ainsi l'expression du garçon : sa peur ou sa résignation.

Soudain, un ange descend du ciel. Il saisit le bras d'Abraham et l'oblige à lâcher son poignard. L'arme tombe. Sa pointe est encore dirigée vers la gorge du garçon. Mais elle ne l'atteindra pas. Au même moment, l'ange lève son bras gauche et ordonne à Abraham d'interrompre son geste. Dieu ne veut pas la mort de l'enfant. Le vieillard se tourne vers l'ange. Il le regarde fixement, on lit dans ses yeux son étonnement, mais aussi une question : peut-être n'avait-il pas bien compris la demande de Dieu.

Les petits secrets du peintre

Ce tas de bois sur lequel Isaac est couché, c'est le bûcher qui devait servir à brûler le corps de la victime après sa mort, selon les rites du sacrifice au temps d'Abraham.

Au fond, à gauche du tableau, on aperçoit un paysage de vallées, de collines et des châteaux. Le peintre indique ainsi qu'Abraham et Isaac ont dû parcourir un long chemin pour arriver au sommet de la montagne.

Le sacrifice d'Abraham

Rembrandt Van Rijn
Peintre hollandais
Leyde 1606 - Amsterdam 1669

1635, huile sur toile
193 x 133 cm
Musée de l'Ermitage, Saint-Pétersbourg

Le sacrifice d'Abraham

Abraham et sa femme Sara étaient vieux, et ils n'avaient pas eu d'enfant. Pourtant, quand Dieu mena Abraham au pays de Canaan, il lui promit :
– Je ferai de toi un grand peuple, car tes enfants seront aussi nombreux que les étoiles du ciel !
Et Sara eut un fils. Elle l'appela Isaac.

Quand l'enfant eut grandi, Dieu dit à Abraham :
– Prends ton fils que tu aimes, fais-le monter sur la montagne.
Là, tu me l'offriras.
En chemin, Isaac demanda :
– Père, où est l'agneau pour le sacrifice ?
Abraham répondit :
– Dieu sait où est l'agneau, mon fils.
Arrivé sur la montagne, Abraham éleva un autel.
Il prépara le feu, il leva le couteau.
Mais l'ange de Dieu l'appela du ciel :
– Abraham, Abraham !
Ne fais pas de mal à l'enfant !
Je sais que tu aimes le Seigneur plus que tout !
Abraham vit alors un bélier
qui s'était pris les cornes dans un buisson.
Et il offrit le bélier en sacrifice.

Dieu dit à Abraham : – Puisque tu ne m'as pas refusé ton fils, ton unique, puisque tu l'as laissé monter vers moi, je te bénirai.
Les enfants de tes enfants seront aussi nombreux que les étoiles du ciel. Et tous les peuples de la terre se souviendront de toi.

Jacob recevant la tunique de Joseph

Regarde ces cinq garçons, ils apportent à leur père la tunique et la chemise de leur frère Joseph. Les vêtements sont tachés de sang. Le vieux Jacob ouvre les bras, il a compris : Joseph, son fils préféré, est mort. Mais le petit chien aboie et montre les dents. Il veut prévenir Jacob : le sang sur la chemise n'est pas celui d'un homme mais d'un animal. Ces cinq garçons sont des menteurs. Pourtant, malgré tout, ils aiment leur père, et sa souffrance les touche.

Le garçon en tunique orange, à côté de Jacob, a pris son menton dans sa main droite. Il se demande s'il n'a pas eu tort d'inventer une histoire pareille. Un autre frère, vêtu d'une tunique noire, regarde Jacob avec pitié. Le troisième garçon, coiffé d'un chapeau, observe son frère avec insistance. Lui aussi est gagné par le doute. Mais que pense le garçon qui nous tourne le dos, tout à fait à gauche du tableau ? Il fait semblant d'essuyer ses larmes. Pour le moment, il ne regrette rien. Peut-être n'est-il pas assez près de son père. On dirait en effet que plus les garçons sont proches de Jacob, plus le remords les gagne.

Les petits secrets du peintre

S'il n'y avait pas cette grande fenêtre ouverte sur la campagne, on aurait l'impression d'étouffer. Le paysage crée aussi un effet de profondeur.

Cette scène se passe dans un bien triste palais. Tout est gris et sale. Les garçons sont mal coiffés, mal rasés.
Le peintre veut que les gens, pauvres ou riches, se reconnaissent dans cette histoire.

Jacob recevant la tunique de Joseph

Diego Vélasquez
Peintre espagnol
Séville 1599 - Madrid 1660

1630, huile sur toile
223 x 250 cm
Musée du monastère de l'Escurial

L'histoire de Jacob et de ses fils

J acob, fils d'Isaac, avait douze fils. Joseph était son préféré. Les frères de Joseph le prirent en haine, parce que leur père l'aimait plus que ses autres fils. Un jour qu'ils gardaient les troupeaux, ils se saisirent de Joseph et le vendirent à des marchands qui passaient.

Ils lui enlevèrent sa tunique et la tachèrent avec le sang d'un bouc pour faire croire à leur père qu'une bête sauvage avait dévoré Joseph.

Quand Jacob vit le vêtement taché de sang,
il s'écria :
– C'est bien la tunique de mon fils Joseph !
Une bête sauvage l'a mis en pièces !
Jacob déchira ses vêtements et prit le deuil.
Ses fils et ses filles s'approchèrent pour le consoler.
Mais il refusait toute consolation.
Il disait en pleurant :
– Non, laissez-moi !
Je veux descendre aux enfers auprès de mon fils.

Or, les marchands avaient vendu Joseph en Égypte, à un commandant des gardes de Pharaon. Et Dieu était avec Joseph.

Plus tard, devenu ministre de Pharaon, Joseph sauva le pays de la famine. Il pardonna à ses frères et les fit venir, avec son père Jacob, au pays d'Égypte, où ils s'installèrent.

Moïse sauvé des eaux

Regarde ce joli bébé flottant sur l'eau,

toute la lumière s'est posée sur lui. D'ailleurs, chacun l'observe avec tendresse et émotion. Trois femmes se penchent, tentent de le ramener sur la berge. Elles forment une ronde, se soutiennent, mêlent leurs bras : il faut sauver l'enfant. Le poupon, plein d'espoir, tend sa petite main. On dirait qu'il veut attraper la jambe de la femme en robe orange. Si l'on suit son doigt, notre regard glisse le long de son joli mollet blanc. Puis il rebondit avec délice vers la poitrine si blanche et la joue si rose.

Qui donc est cette femme si séduisante ? Est-ce la fille de Pharaon ? Non, c'est une dame de compagnie. La fille de Pharaon se tient en retrait, droite et immobile. Personne ne la touche. Sa robe toute simple est d'un bleu éclatant. Un bleu outremer obtenu par broyage d'une pierre plus chère que l'or, le lapis lazuli. Une couleur qui, comme le rouge et le jaune, capte le regard d'avantage que toutes les autres. La princesse orientale domine la scène. Elle est calme et digne. Le petit Moïse n'a plus rien à craindre, la fille de Pharaon prendra soin de lui.

Les petits secrets du peintre

Quand Romanelli a peint son tableau, au XVIIe siècle, il y avait beaucoup de petits esclaves noirs, comme celui qui tient ici l'ombrelle, dans les cours d'Europe. On les retrouve dans de nombreux tableaux de l'époque.

Le bleu lapis lazuli est si précieux que jusqu'au Moyen Âge les peintres le réservèrent au manteau de la Vierge Marie. À partir de la Renaissance, on l'utilise pour d'autres personnages.

Moïse sauvé des eaux

Giovanni Francesco Romanelli
Peintre italien
Viterbe 1610 - 1662

1655, huile sur toile
198 x 140 cm
Musée du Louvre, en dépôt au Musée national du château de Compiègne

Moïse sauvé des eaux

Les Hébreux installés en Égypte étaient devenus si nombreux et si puissants que Pharaon en fut effrayé. Il ordonna qu'on les fasse travailler comme des esclaves, à fabriquer des briques et à construire des villes.

Mais les Hébreux devenant toujours plus nombreux, Pharaon ordonna que soient mis à mort tous leurs garçons nouveau-nés.

Une femme qui venait d'avoir un fils
le garda près d'elle pendant trois mois.
Comme elle ne pouvait le cacher plus longtemps,
elle le coucha dans une corbeille,
et elle déposa la corbeille dans les joncs,
sur la rive du fleuve.
La fille de Pharaon vint se baigner.
Elle aperçut la corbeille
et elle envoya une servante la ramasser.
La fille de Pharaon regarda le bébé qui pleurait.
Elle dit : – C'est un petit Hébreux.
Et elle eut pitié de lui.
La fille de Pharaon garda l'enfant au palais
et l'éleva comme son fils.
Elle l'appela Moïse,
ce qui veut dire « sauvé des eaux ».

Plus tard, devant l'Horeb, la montagne de Dieu, Moïse vit une flamme de feu jaillissant d'un buisson, mais le buisson ne se consumait pas. Et Dieu parla du milieu du buisson. Dieu confia son peuple à Moïse pour qu'il l'emmène loin d'Égypte, à travers le désert, jusqu'à la Terre promise.

Samson et Dalila

Regarde l'homme profondément endormi

sur les genoux de la jeune fille. Son corps immense et musclé, à peine dissimulé par une couverture de fourrure, est complètement détendu. Cet homme s'appelle Samson. Il se croit en sécurité auprès de sa belle. Quelle erreur ! Un étrange complot se prépare dans la pénombre de la chambre à coucher. À pas de loup, un homme et une vieille femme se sont approchés du géant. L'homme coupe délicatement une mèche des cheveux de Samson tandis que la femme soulève sa bougie pour l'éclairer.

Dalila, drapée dans une robe rouge, a doucement posé sa main sur le dos du colosse. La flamme d'un brasier éclaire les épaules dénudées de la femme. Regrette-t-elle d'avoir livré Samson ? Pour nous aider à comprendre les sentiments de Dalila, le peintre a peint la petite statue posée dans une niche au fond du tableau. Sur cette sculpture, Vénus, déesse de la beauté, bâillonne Cupidon, le dieu de l'amour, pour qu'il ne parle pas. Dalila est tombée amoureuse de Samson, nous dit le peintre, mais elle doit taire son amour.

À la porte, un soldat en armes fait le guet. D'autres sont groupés derrière lui. Leurs visages sont éclairés par la torche allumée que l'un d'entre eux tient à la main. Ils attendent que le barbier ait terminé son travail pour ensuite capturer Samson.

Les petits secrets du peintre

Les quatre petites flammes ne suffiraient pas à illuminer cette scène. Une lumière, invisible, venue du devant du tableau, éclaire le dos de Samson. C'est elle qui donne tout son relief au torse du géant.

Regarde les deux femmes du tableau. Leurs visages sont tout proches. Le peintre veut nous montrer les deux âges de la vie : la jeunesse et la vieillesse. Dalila, un jour, deviendra comme la vieille femme derrière elle.

Samson et Dalila

Pierre Paul Rubens
Peintre flamand
Siegen 1577 - Anvers 1640

1609, huile sur bois
185 x 205 cm
National Gallery, Londres

Samson et Dalila

Au temps où le peuple d'Israël était sous la domination des Philistins, un ange de Dieu annonça à une femme qui n'avait jamais pu avoir d'enfant la naissance d'un fils. Ce fils serait consacré à Dieu. C'est pourquoi on ne devrait jamais lui couper les cheveux. C'est lui qui délivrerait les Israélites des Philistins. L'enfant fut appelé Samson. Il était d'une force extraordinaire, car l'Esprit de Dieu était avec lui.

**Les Philistins ne pouvaient s'emparer de Samson,
sa force était si grande qu'il les massacrait tous.
Mais Samson tomba amoureux d'une femme appelée Dalila.
Les chefs philistins dirent à Dalila :
– Si tu trouves le secret de la force de Samson,
nous te donnerons onze pièces d'argent !
Alors Dalila harcela Samson pour lui arracher son secret.
Samson finit pas se lasser. Il dit :
– Ma force est dans mes cheveux.
Ils n'ont jamais été coupés, car je suis consacré à Dieu.
Dalila endormit Samson près d'elle.
Alors un homme lui coupa les cheveux.
Les Philistins s'emparèrent de lui et lui crevèrent les yeux.**

Samson fut jeté en prison. Mais ses cheveux commencèrent à repousser. Les Philistins firent une grande fête pour célébrer leur victoire contre Samson. On l'attacha aux colonnes du temple, et les gens se moquaient de lui. Alors Samson fit cette prière à Dieu : – Que je meure en même temps que les Philistins ! Il ébranla les colonnes. Le temple s'écroula, tuant les chefs des Philistins et tout le peuple qui se trouvait là.

Le jugement de Salomon

Regarde ce jeune roi assis sur son trône.

C'est Salomon. Il fronce les sourcils : il doit résoudre un problème difficile. Les deux femmes agenouillées à ses pieds lui ont raconté leur histoire. Toutes deux ont eu un fils, mais l'un des nouveau-nés est mort. La femme de droite le porte sous son bras. L'enfant vivant, lui, est à gauche. Un soldat le tient suspendu par le pied.

Salomon doit choisir : laquelle de ces deux femmes est la mère de l'enfant vivant ? Pour découvrir la vérité, il ordonne que l'on partage le bébé en deux. Le soldat a sorti son épée et s'apprête à exécuter la sentence du roi. Quelle cruauté ! Tout le monde est choqué.

La mère de droite, pourtant, crie bien fort pour dire qu'elle est d'accord. Avec son doigt, elle désigne l'enfant à partager. Elle a l'air méchante, avec sa peau trop grise, sa tunique trop verte, sa jupe trop rouge.
La mère de gauche, elle, supplie Salomon de ne pas tuer son enfant. Son visage est dans l'ombre, mais on devine sa douleur. Tout en elle est doux et tendre.

Salomon sait désormais laquelle des deux femmes a menti. Sans quitter son trône, ni perdre son sang-froid, le roi a résolu un problème difficile. Il va pouvoir prononcer son jugement.

Les petits secrets du peintre

Salomon est le roi d'Israël. Pourtant son soldat porte un casque de l'armée grecque ! Le peintre a sans doute dû trouver cette pièce d'armure tellement belle qu'il a tout de même voulu la peindre.

Quelle symétrie dans ce tableau ! Au milieu, le roi. Devant lui, les mères. Sur les côtés, dix personnages, cinq à droite et cinq à gauche. C'est normal : cette histoire parle de justice, et donc d'équilibre.

36

Le jugement de Salomon

Nicolas Poussin
Peintre français
Les Andelys 1594 - Rome 1665

1649, huile sur toile
101 x 150 cm
Musée du Louvre, Paris

Le jugement de Salomon

Quand Salomon, fils de David, devint roi, Dieu lui apparut en rêve et lui dit : « Demande-moi ce que tu veux, je te le donnerai. » Salomon répondit : « Seigneur, donne-moi un cœur plein de sagesse, sinon, comment saurais-je gouverner un si grand peuple ? » Et Dieu aima la réponse de Salomon.

Deux femmes vinrent demander justice.
Elles habitaient ensemble,
et toutes deux avaient eu un bébé,
mais l'un des nouveau-nés était mort.
Les deux femmes se disputaient l'enfant vivant,
chacune disant : – C'est le mien !
Salomon ordonna :
– Qu'on apporte une épée,
qu'on partage en deux l'enfant vivant,
qu'on en donne la moitié à l'une,
la moitié à l'autre !
La première femme cria :
– Oui ! Qu'il ne soit ni à elle, ni à moi !
Mais l'autre supplia :
– Monseigneur, ne le tue pas !
Donne-le plutôt vivant à cette femme !
Alors Salomon déclara :
– Celle-ci est la mère. Qu'on lui rende son enfant !

Dans tout le pays d'Israël et dans les pays alentour, on parla du jugement du roi. Et la reine de Saba elle-même vint de son lointain royaume pour vénérer Salomon, car sa sagesse venait de Dieu.

Jonas englouti par le grand poisson

Regarde ce gros poisson, il est en train d'avaler un petit homme. La victime s'appelle Jonas, son nom est inscrit en lettres noires juste à côté de lui. La mâchoire du monstre, hérissée de crocs et de dents pointus, a l'air bien redoutable. Pourtant, le petit chapeau de Jonas est toujours en place et sa belle robe rouge n'est pas déchiquetée. Il n'y a pas eu combat, Jonas n'a pas cherché à fuir. Il a joint ses mains pour implorer Dieu. Il sait que grâce à sa prière il sera sauvé. Il a raison : dans trois jours et trois nuits, l'animal le rejettera, vivant, sur la terre ferme.

D'ailleurs, le rivage n'est pas loin. Sur la berge, quelques arbres bien verts sont disposés un peu au hasard. Certaines de leurs feuilles brillent autant que les étoiles dans le ciel : elles sont peintes avec de l'or. Derrière Jonas se dresse un drôle de château fort. Une deuxième forteresse, petite et toute pâle, se perd dans la brume en haut à droite du tableau. Mais tous ces détails n'ont pas vraiment d'importance, le peintre ne veut pas représenter un vrai paysage. Il veut créer une jolie image pour une belle histoire qui donne confiance en Dieu.

Les petits secrets du peintre

Est-ce le jour ou la nuit ? Dans le ciel bleu sombre, des étoiles brillent, c'est donc la nuit. Mais Jonas et le poisson sont en plein jour. Au Moyen Âge, on ne sait pas encore peindre des sujets qui brillent dans la nuit.

Au Moyen Âge, les bibles sont écrites à la main sur de la peau de mouton. Elles sont ornées de peintures aux couleurs vives comme celle-ci. On les appelle des enluminures parce qu'elles mettent les textes en lumière.

Jonas englouti par le grand poisson
Artiste inconnu
XVe siècle, Bible dite de Jean XXII, palais des Papes, Avignon
Bibliothèque de la faculté de médecine, Montpellier

Jonas englouti par le grand poisson

Dieu dit au prophète Jonas : – Va à Ninive et annonce à ses habitants que j'en ai assez de leur méchanceté. Dans quarante jours, je détruirai leur ville. Mais Jonas eut peur. Il s'embarqua sur un navire pour s'enfuir loin de Dieu. Alors Dieu lança sur la mer un vent violent, et le navire menaçait d'être englouti.

Jonas dit aux marins :
– C'est à cause de moi si cette tempête s'est levée,
parce que je me suis enfui devant mon Dieu.
Jetez-moi à la mer !
Dès que Jonas fut à la mer, la tempête cessa.
Dieu fit venir un grand poisson
pour engloutir Jonas.
Jonas resta trois jours et trois nuits
dans le ventre du poisson,
et il pria le Seigneur en disant :
– Tu m'as jeté au profond de la mer.
Mais ma prière monte jusqu'à toi,
et du pays de la mort tu me feras remonter,
Seigneur mon Dieu !

Dieu parla au poisson, et le poisson vomit Jonas sur le rivage. Jonas s'en alla à Ninive pour annoncer : – Encore quarante jours, et la ville sera détruite ! Le roi de Ninive et tous les habitants crurent à la parole de Dieu, ils se repentirent. Alors Dieu lui aussi se repentit de sa malédiction. Et le mal qu'il voulait faire pour les punir, il ne le fit pas.

Daniel dans la fosse aux lions

Regarde, Daniel est enfermé dans une grotte.

Des lions l'encerclent, tournent autour de lui. L'un d'eux, énorme, s'est dressé sur ses pattes arrière pour escalader la paroi. Un autre ouvre grand la gueule. On croit entendre son rugissement, un cri rauque à rebrousser les cheveux de terreur et dont l'écho se répercute dans la caverne. Un troisième, aplati sur le sol, semble ronger un os. Les fauves sont en pleine forme : le poil brillant, le museau rose, les muscles bien développés. Pourtant, aucun n'attaque. On dirait même qu'ils montent la garde autour de Daniel. D'ailleurs, l'homme n'est pas inquiet. Son visage rond aux traits épais est tranquille. Il s'est assis sur un rocher et a soulevé ses mains pour apaiser les lions. Les bêtes se sont soumises.

Daniel lève les yeux vers le ciel bleu. Comme nous, il est attiré par la lumière. Il aperçoit deux hommes, tout petits parce qu'ils sont haut. Les deux curieux sont bien surpris : Daniel est vivant ! Ils se demandent d'où vient la lumière qui baigne la grotte. Certainement pas du soleil : ses rayons ne pénètrent pas dans la fosse. C'est Daniel qui brille. La lumière divine s'est posée sur lui et illumine la caverne. Sa foi l'a sauvé de l'appétit des lions.

Les petits secrets du peintre

Le peintre Delacroix était fasciné par les fauves. En compagnie d'un ami sculpteur, il allait souvent à la ménagerie du Jardin des plantes à Paris, pour les dessiner, vivants ou empaillés.

Souvent Daniel est peint dans la fosse d'un théâtre antique. Mais au XIXe siècle, les artistes s'intéressent à la géologie. Voilà pourquoi Delacroix, qui vivait à cette époque, l'a représenté dans une grotte.

Daniel dans la fosse aux lions

Eugène Delacroix
Peintre français
Charenton-Saint-Maurice 1798 - Paris 1863

1849, huile sur toile
67 x 49 cm
Musée Fabre, Montpellier

Daniel dans la fosse aux lions

Darius, roi de Perse, aimait beaucoup Daniel, un jeune Israélite, car Daniel savait expliquer les rêves. Mais les ministres de la cour étaient jaloux de lui. Un jour, ils surprirent Daniel en train de prier. Ils vinrent le dénoncer au roi en disant : – Notre loi nous interdit de prier un dieu. Mais Daniel te désobéit, il prie son dieu dans sa chambre. Et selon notre loi, il doit être jeté dans la fosse aux lions !

Darius eut du chagrin, car il aimait Daniel. Mais il ne trouva aucun moyen de le sauver.

Daniel fut jeté dans la fosse, et Darius s'écria :
– Je n'ai pu te sauver, Daniel,
mais le Dieu que tu pries te délivrera !
Le roi entra dans son palais.
Il ne put ni manger ni dormir.
Au petit matin, il se leva, il courut vers la fosse,
et il appela : – Daniel, Daniel, ton Dieu t'a-t-il protégé des lions ?
Et, du fond de la fosse, Daniel répondit :
– Grand roi, mon Dieu a envoyé son ange
pour fermer la gueule des lions.
Et ils ne m'ont fait aucun mal,
car, moi non plus, je n'avais fait aucun mal.

Darius, tout joyeux, tira Daniel de la fosse. Il fit jeter à sa place ceux qui l'avaient accusé, et ceux-là furent dévorés. Alors Darius ordonna que dans tout son royaume on adore le Dieu de Daniel, qui délivre de la mort ceux qui croient en lui.

L'Annonciation

Regarde, tu es dans la maison de la Vierge.

L'ange Gabriel vient d'arriver pour annoncer à Marie qu'elle sera bientôt mère. L'extrémité de ses ailes et le bas de sa robe sont encore dans le jardin. La Vierge et l'ange se saluent, ils s'inclinent et croisent leurs bras sur leur poitrine. As-tu remarqué comme ils se ressemblent ? Leurs robes roses, leurs chevelures blondes, leurs auréoles dorées, et même leurs visages délicats, sont assortis.

Un rayon d'or jaillit d'une boule de feu et traverse le tableau. C'est la lumière de Dieu qui descend sur la terre. Deux mains ouvertes dirigent le rayon lumineux vers Marie. Une colombe glisse le long du faisceau et s'approche de la jeune femme. L'oiseau et la lumière sont des symboles, ils représentent l'Esprit de Dieu. La jeune femme sera bientôt la mère du Fils de Dieu.

Le Christ sauvera les hommes du mal et de la mort, entrés dans le monde à cause d'Adam et Ève. On les voit, à gauche du tableau, l'air malheureux, chassés du paradis. Mais ce merveilleux jardin semble celui de Marie. Celle-ci, par sa foi, ouvre à nouveau aux hommes l'entrée du paradis.

Les petits secrets du peintre

Au sommet de la colonne, un homme barbu dans un médaillon, les yeux baissés, observe la Vierge : c'est un portrait du prophète Isaïe. Il fut le premier à annoncer la venue du Fils de Dieu sur la terre.

Une hirondelle s'est posée dans la maison de Marie. Cet oiseau annonce l'arrivée du printemps. L'Annonciation, dont la date est fixée au 25 mars, signale, elle aussi, le commencement d'une nouvelle vie.

L'Annonciation

Fra Angelico (Guido di Pietro)
Vicchio, Florence, vers 1395 - Rome 1455

1430 - 1432, huile sur bois
155 x 194 cm
Musée du Prado, Madrid

L'Annonciation

En ce temps-là, Dieu envoya l'ange Gabriel à une jeune fille appelée Marie, dans la ville de Nazareth, en Galilée. Marie était fiancée à Joseph, de la famille du roi David.

L'ange entra dans la maison, et il dit :
– Je te salue, Marie, la bénie de Dieu.
Le Seigneur est avec toi.
En entendant ces mots, Marie fut bouleversée.
Mais l'ange lui dit :
– N'aie pas peur !
Tu vas avoir un fils, tu l'appelleras Jésus.
Il sera grand, il sera appelé Fils du Très-Haut.
Marie dit à l'ange :
– Comment cela se fera-t-il,
puisque je ne suis pas mariée ?
L'ange lui répondit :
– L'Esprit de Dieu viendra sur toi,
et la force de Dieu te couvrira de son ombre.
C'est pourquoi ton enfant sera appelé
Fils de Dieu.

Marie dit alors : – J'ai confiance dans le Seigneur. Qu'il fasse pour moi comme tu l'as dit. Et l'ange la quitta.

Quelque temps plus tard, l'ange visita Joseph dans un songe et lui dit : – Prends chez toi sans crainte Marie, ta femme. Car l'enfant qu'elle attend vient de Dieu. Elle va avoir un fils. Tu l'appelleras Jésus, c'est-à-dire « Dieu sauve », car c'est lui qui sauvera le peuple de ses péchés.

L'adoration des bergers

Regarde, c'est la nuit. Emmailloté bien serré dans ses langes, l'enfant Jésus dort. Pour protéger son sommeil, Joseph, son père, masque la flamme de la chandelle. Pourtant, le nouveau-né rayonne. La lumière vient de lui. Marie, sa mère, le sait bien : son enfant n'est pas comme les autres. C'est le Fils de Dieu. Regarde comme elle se tient bien droite dans sa belle robe orangée. Elle est fière. Dans un geste de prière, elle a joint ses mains. Mais son regard est inquiet : que deviendra son enfant ?

Un berger sourit ; lui, il a confiance. D'avance, il se réjouit. De sa main droite, il tient son chapeau et s'apprête à se découvrir en signe de respect. Son compagnon, l'air grave, les yeux baissés sur le nouveau-né, réfléchit. Sa main, fermement posée sur son bâton, est celle d'un homme vigoureux et déterminé. Bientôt, les deux bergers s'en iront et raconteront à tous qu'ils ont vu le Sauveur. Un agneau les a suivis et profite de l'aubaine pour grignoter une brindille de paille. Il est le seul à s'approcher du divin enfant. Comme Jésus, il est confiant. Il n'a pas peur de l'avenir. Avec précaution et recueillement, une servante apporte une jarre de lait. L'enfant ne manquera de rien. Autour de lui, on parle d'amour, en silence.

Les petits secrets du peintre

Jésus est emmailloté comme une chenille dans son cocon. C'est ainsi qu'on habillait les nourrissons à l'époque de Georges de La Tour.

Le peintre La Tour aime la nuit. Souvent ses personnages surgissent de l'ombre à la lueur d'une bougie. Ils y gagnent une taille surprenante et des couleurs assourdies : rouge, ocre, brun, noir.

L'adoration des bergers

Georges de La Tour
Peintre français
Vic-sur-Seille 1593 - Lunéville 1652

1644, huile sur toile
107 x 137 cm
Musée du Louvre, Paris

L'adoration des bergers

Près de l'endroit où Marie mit son bébé au monde, il y avait des bergers qui veillaient. L'ange du Seigneur leur apparut, et la lumière de Dieu les enveloppa.

L'ange dit aux bergers : – N'ayez pas peur ! Je vous annonce une grande joie. Aujourd'hui, un sauveur vous est né à Bethléem, dans la ville du roi David. Il est le Christ, le Messie, le Seigneur. Vous le reconnaîtrez : c'est un bébé nouveau-né, emmailloté de langes et couché dans une mangeoire.

Les bergers se dirent entre eux :
– Courons à Bethléem,
voir ce que le Seigneur nous a fait connaître.
Ils y allèrent en hâte,
et ils trouvèrent Marie, Joseph
et le nouveau-né couché dans la mangeoire,
comme l'ange l'avait dit.

Puis les bergers s'en retournèrent en chantant les louanges de Dieu. Ils racontaient partout ce qu'ils avaient vu et ce qu'on leur avait dit sur ce petit enfant. Ceux qui les écoutaient étaient étonnés et émerveillés.

Quant à Marie, elle gardait toutes ces choses dans son cœur, pour s'en souvenir et pour les comprendre.

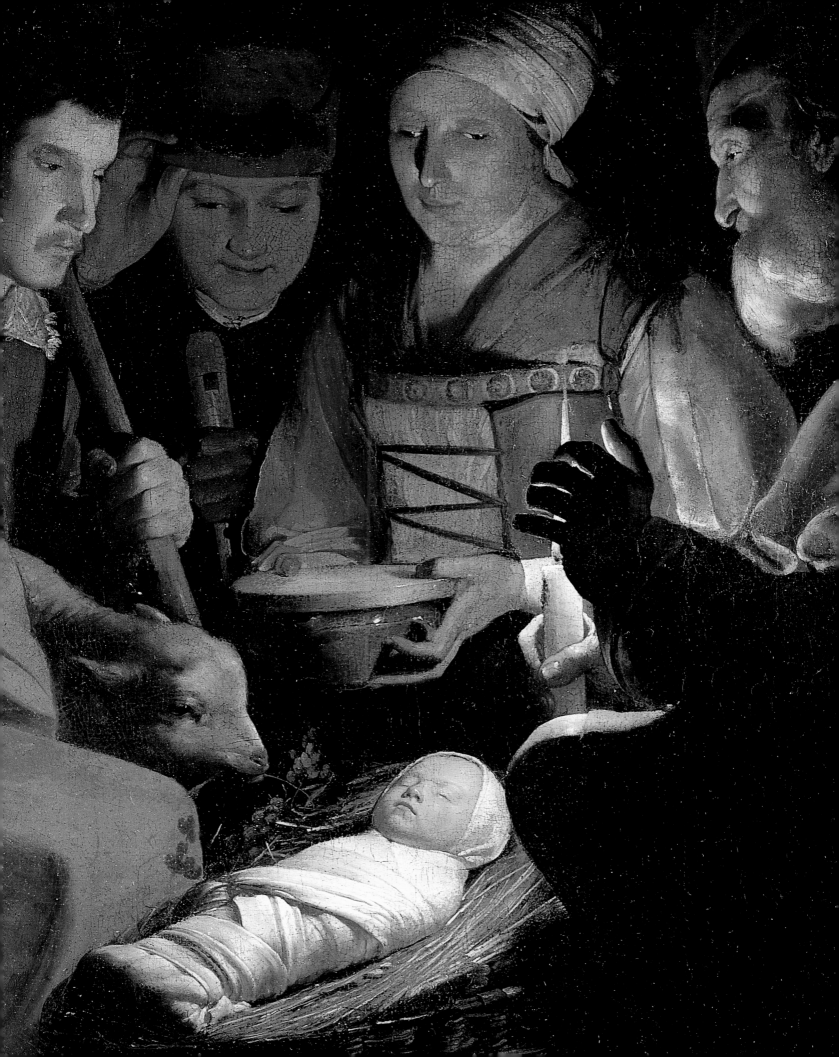

Le baptême de Jésus

Regarde, Jésus est debout dans le Jourdain.

Il a de l'eau jusqu'à la taille, mais on devine qu'il est entièrement nu. Aucune feuille de vigne ne cherche à le cacher. Il est nu car il est pur, comme Adam et Ève avant de manger le fruit défendu.

À droite, Jean le Baptiste, vêtu d'une peau de bête, pose sa main sur sa tête. Il baptise le jeune homme. Une colombe déverse de l'eau sur ses cheveux. C'est l'Esprit de Dieu qui descend du ciel. Assis à gauche, un vieillard barbu observe la scène. Il est bizarrement coiffé d'une paire de pinces de crustacé. Une jarre pleine d'eau est posée à côté de lui et se déverse dans le fleuve. Ce vieux barbu à pinces est le dieu du fleuve Jourdain.

Le peintre veut nous dire que Jésus a été baptisé dans ce fleuve. Ce dieu de l'Antiquité dans une histoire chrétienne est surprenant, mais ce tableau date d'à peine cinq cents ans après la mort du Christ. À l'époque, les dieux de la mythologie étaient encore très présents et très aimés.
Ce dieu du Jourdain est aussi là pour équilibrer le tableau. Lui et Jean le Baptiste sont tous les deux de la même taille. Ils encadrent le Christ et le mettent en valeur.

Les petits secrets du peintre

Cette œuvre n'a pas été peinte, elle a été composée à partir d'une quantité de petits cubes de pierre et de verre. Les fragments ont été assemblés les uns aux autres et incrustés dans du ciment pour former une mosaïque.

Cette mosaïque ronde est faite pour être regardée de loin et par-dessous. Elle couvre en effet le plafond de la coupole d'une cathédrale située à Ravenne, en Italie.

Le baptême de Jésus

Artiste inconnu

Vers 520, mosaïque byzantine
Baptistère des ariens, Ravenne

Le baptême de Jésus

Un homme vint vivre au désert. C'était un prophète appelé Jean le Baptiste. Les habitants de Jérusalem et de toute la Judée venaient à lui pour se faire baptiser, pour être lavés dans les eaux du Jourdain en avouant leurs péchés. Jean leur disait : – Le Royaume de Dieu est proche ! Quelqu'un va venir, quelqu'un de bien plus grand que moi. Moi, je vous baptise dans l'eau. Mais lui, il vous baptisera dans l'Esprit saint !

Un jour, Jésus vint lui aussi se faire baptiser.
D'abord, Jean refusa en disant :
– C'est moi qui ai besoin d'être baptisé par toi !
Mais Jésus dit :
– Il faut accomplir ce qui est juste.
Quand Jésus sortit de l'eau,
il vit le ciel s'ouvrir
et l'Esprit de Dieu descendre sur lui
comme une colombe.
Des cieux vint une voix qui disait :
– Tu es mon Fils que j'aime,
en toi j'ai mis tout mon amour.

Alors l'Esprit conduisit Jésus au désert. Et après quarante jours, Jésus rassembla autour de lui ses premiers disciples. Ensemble ils parcouraient la Galilée, annonçant la Bonne Nouvelle et guérissant les malades, les aveugles, les possédés et les paralytiques.

Jésus apaisant la tempête

Regarde, la tempête se déchaîne sur le lac !

La barque tangue et se remplit d'eau. D'où vient ce vent furieux ? Dans le ciel, les nuages énormes et vaporeux filent vers la droite. Sur le lac, les vagues rondes et écumeuses se tournent vers la gauche. Le mat du bateau penche dangereusement vers la droite. La voile et la corde ondulent en tout sens. Quel désordre, quelle agitation !

Sur la barque, les hommes sont paniqués. Ils vont couler ! À droite, les compagnons s'activent. L'un d'eux tente d'affaler la voile, l'autre d'abattre le mat, un troisième d'attraper la corde qui s'est échappée. Un quatrième s'est accroupi. Il se sent trop mal pour aider ses amis. Il se penche par-dessus bord et tourne la tête vers Jésus, allongé à la poupe du bateau. Mais Jésus dort ! Il n'a rien vu, rien entendu.

Six compagnons s'approchent pour le réveiller. L'auréole du Christ illumine leur peau et leurs vêtements. Sa lumière est si puissante qu'elle éclaire même la voile. À l'horizon, tout à fait sur la droite, on aperçoit la petite lumière du soleil qui lui répond. Mais comme elle est faible comparée à celle de Jésus ! Les disciples ne doivent pas s'inquiéter. Le Christ les sauvera de la colère du vent.

Les petits secrets du peintre

Tout bouge dans ce tableau, sauf la ligne d'horizon qui sépare le ciel du lac. Cette ligne droite et calme rend l'agitation des vagues, de la barque et des hommes encore plus forte.

Pour peindre l'eau du lac, l'artiste a passé plusieurs couches de peinture. Du vert, du jaune, du blanc, bien épais. Par endroit, il a renoncé au pinceau pour appliquer la couleur avec une spatule en métal.

Jésus apaisant la tempête

Jules Meynier
Peintre français
Paris 1826, date de mort inconnue

1870, huile sur toile
100 x 163 cm
Musée de Cambrai

Jésus apaisant la tempête

Un jour, Jésus se mit à enseigner au bord de la mer. La foule se pressait si nombreuse autour de lui qu'il monta dans une barque, sur la mer. Et de là, il parla en paraboles.

Comme le soir tombait, Jésus dit à ses disciples : – Passons sur l'autre rive.

Et ils emmenèrent Jésus loin de la foule, dans la barque.

Brusquement, un vent terrible se leva.
Les vagues se jetaient si fort contre la barque
que déjà elle s'emplissait d'eau.
Jésus, lui, était couché à l'arrière,
la tête sur un coussin, et il dormait.
Ses disciples le secouèrent :
– Réveille-toi ! Nous allons couler !
Jésus se leva. Il menaça le vent,
et il cria aux vagues :
– Silence !
Aussitôt, le vent tomba
et il se fit un grand calme.

Jésus dit alors :

– Pourquoi avez-vous eu si peur ? Est-ce que vous n'avez pas confiance en moi ?

Et tous, pleins d'étonnement, se demandaient entre eux :

– Qui est donc vraiment cet homme, pour que le vent et la mer lui obéissent ?

Le Christ chassant les marchands du Temple

Regarde, Jésus est en colère, il agite son fouet et sème le désordre parmi les marchands à gauche du tableau. Les commerçants ont peur. Ils voudraient s'échapper, mais par où ? Le Christ bloque le passage. Alors les corps se tordent, se tournent, se renversent. Plus personne n'est vraiment debout. Un homme drapé de jaune lève son bras pour se défendre. Une femme en jupe bleue, tombée par terre, protège son visage. Un marchand se penche pour ramasser son coffre. Une table a été renversée. C'est la pagaille !

À droite, au contraire, tout est calme. Les hommes discutent entre eux, ils se demandent ce qu'il se passe. Devant, un vieil homme aveugle s'est agenouillé pour demander la guérison. Pourtant, il y a quelques instants à peine, eux aussi étaient dans le Temple et le commerce ne semblait pas les gêner. Mais en voyant la colère de Jésus, ils comprennent son message. Le corps du Christ sépare donc le tableau en deux parties : à droite, les heureux qui ont compris, à gauche, les autres, qui s'entêtent.

Les petits secrets du peintre

As-tu remarqué comme tous les personnages de ce tableau ont le corps et la figure allongés ? À l'époque où l'artiste a exécuté son œuvre, cette manière de peindre était tout à fait nouvelle.

Le Christ est le seul à porter des vêtements de couleur rose et bleue. Partout autour de lui, on ne voit que du gris, du jaune et du vert. C'est une manière pour le peintre d'isoler et de faire ressortir le personnage de Jésus.

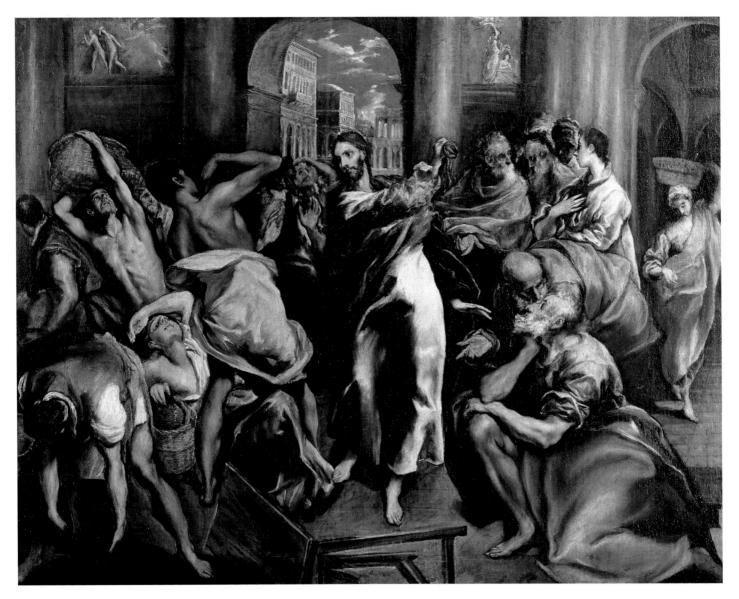

Le Christ chassant les marchands du Temple

Le Greco
Peintre espagnol
Héraklion 1541 - Tolède 1614

Vers 1600, huile sur toile
106 x 130 cm
National Gallery, Londres

Le Christ chassant les marchands du Temple

Comme c'était bientôt la fête de la Pâque, Jésus vint à Jérusalem. Il entra dans la ville sur le dos d'un petit âne.

Les gens, tout joyeux, lui faisaient un tapis de leurs manteaux et coupaient des branches aux arbres pour en joncher la route. Ils l'acclamaient en criant :
– Hosannah ! Gloire à Dieu ! Béni soit celui qui vient au nom de Dieu !

Jésus entra dans le Temple.
Sur le parvis, il y avait des marchands
qui vendaient des colombes, des brebis et des bœufs
pour les sacrifices.
Il y avait aussi des changeurs d'argent.
Jésus se fit un fouet avec des cordes
et il les chassa du Temple avec leurs bêtes,
il renversa les tables, il dispersa l'argent.
Il disait :
– La maison de mon Père est un lieu de prière,
et vous en faites un repaire de voleurs !
Alors des aveugles et des infirmes
vinrent à lui dans le Temple,
et Jésus les guérit.

En voyant cela, les grands prêtres et les anciens du peuple furent scandalisés. Ils s'assemblèrent dans le palais du grand prêtre Caïphe. Ils décidèrent d'arrêter Jésus et de le faire mourir.

La Cène

Regarde cette grande salle à manger.

La lumière, qui rentre à flots par les fenêtres, éclaire la table. Jésus et ses douze apôtres sont réunis pour un repas d'adieu. Le Christ est facile à reconnaître : il est assis, le dos bien droit, au centre du tableau. Il est plus grand que tout le monde. Son index est levé vers son père, Dieu, qui est au ciel. Il bénit l'hostie qu'il tient dans sa main gauche, au-dessus d'un calice. Au milieu de la table on a placé un plat en étain plein de vin.

Les apôtres ont les mains jointes, ils se concentrent. Au début du repas, Jésus leur a annoncé qu'il y avait un traître parmi eux. Ils commencent à se soupçonner les uns les autres. Le traître, Judas, nous tourne le dos. Son visage est de profil, il fixe son voisin d'un air peu aimable. Il a retourné sa main gauche sur sa hanche. Peut-être cherche-t-il à tâtons la bourse où il a rangé l'argent que les chefs religieux lui ont donné pour livrer Jésus ?

Deux serviteurs ont glissé leur tête à travers le passe-plat pour observer la scène, mais cette histoire ne les intéresse pas vraiment. Ce n'est pas le cas du moine vêtu de noir, debout à gauche de Jésus. Il a baissé les yeux et se recueille. Il a compris que ce repas n'était pas comme les autres.

Les petits secrets du peintre

L'homme coiffé d'un bonnet rouge, qui inspecte la salle avec grand sérieux, n'est pas un personnage de l'histoire sainte. C'est le peintre qui a fait son propre portrait.

Que se passe-t-il derrière les portes et les fenêtres ? À droite, on voit un lit et un oreiller rouges. Dans le couloir, un lavabo et une bouilloire. Derrière les fenêtres, la ville de Louvain, en Belgique, où vivait le peintre.

La Cène

Dierick Bouts
Peintre flamand
Haarlem 1415 - Louvain 1475

1468, huile sur toile
180 x 151 cm
Église Saint-Pierre, Louvain

La Cène

Pour la fête de la Pâque, les disciples firent les préparatifs du repas dans une grande salle. Le soir venu, Jésus se mit à table avec eux.

Or, tandis qu'ils mangeaient,
Jésus déclara :
— En vérité, je vous le dis,
l'un de vous va me livrer,
un de ceux qui mangent avec moi.
Pris de tristesse, ils demandaient l'un après l'autre :
— Serait-ce moi ?
Jésus répondit :
— C'est celui qui met la main au plat avec moi.
Pendant le repas,
Jésus prit du pain, il le bénit, et il dit :
— Prenez et mangez, ceci est mon corps.
Puis il prit la coupe de vin,
il la leur donna,
et ils en burent tous.
Il leur dit :
— Ceci est mon sang, le sang que je donne
pour que tous les hommes aient la vie.

Après le repas, ils sortirent pour aller au mont des Oliviers. Ils entrèrent dans un jardin appelé Gethsémani. Jésus fut saisi d'une grande angoisse. Il dit à ses disciples :
— Mon âme est triste à en mourir. Restez ici et veillez.
Puis il s'éloigna pour prier.

L'arrestation de Jésus

Regarde ces deux hommes qui s'enlacent.

Leurs visages sont tout proches, leurs nez se frôlent, leurs yeux se croisent. L'homme de droite vient d'embrasser son compagnon. Judas a donné un baiser à Jésus. Mais quelque chose dans leur étreinte sonne faux. Judas n'est pas aussi amical qu'il veut le faire croire. Avec son grand manteau jaune, il couvre le corps de Jésus, comme s'il voulait s'en emparer. Il fronce les sourcils. Il a l'air agressif et préoccupé. Le visage de Jésus, au contraire, est lisse et détendu.

Il exprime la bonté. Son regard clair plonge dans celui de Judas comme s'il pénétrait dans ses pensées. Le Christ comprend ce que signifie le baiser de Judas. Il sait que son apôtre vient de le trahir. Pourtant, déjà, il lui pardonne.

Autour de Jésus et Judas, la foule s'agite. On brandit des torches, des lances, des piques. Une main tient un bâton prêt à s'abattre sur la tête de Jésus. La plupart des hommes sont des soldats. Leurs casques de fer forment comme un anneau sombre qui encercle le Christ. Les visages, tendus et menaçants, sont tous de profils. Aucun d'entre eux ne nous regarde, ils sont tournés vers Jésus. Ils sont venus l'arrêter. Le personnage de droite, qui semble être un grand prêtre, a levé la main pour désigner l'accusé.

Les petits secrets du peintre

À gauche du tableau, un apôtre, Pierre, prend la défense de Jésus. Avec son couteau, il tranche l'oreille d'un serviteur du grand prêtre. Un autre apôtre tente de s'enfuir. Mais un garde le retient par son manteau.

Ce n'est pas un hasard si le personnage de Judas est habillé de jaune. Au Moyen Âge, époque à laquelle fut peint ce tableau, le jaune était la couleur utilisée pour représenter les traîtres.

L'arrestation de Jésus

Giotto
Peintre italien
Vespignano, vers 1265 - Florence 1337

1304-1306, fresque peinte
200 x 185 cm
Chapelle Scrovegni, Padoue

L'arrestation de Jésus

Après avoir prié, Jésus revint près de ses compagnons et il les trouva endormis. Il leur dit : – Ainsi, vous n'avez pas pu veiller une heure avec moi ? Levez-vous, maintenant, car ils approchent, ceux qui viennent m'arrêter.

À ce moment arriva Judas
avec une troupe armée d'épées et de bâtons,
envoyée par les grands prêtres,
les scribes et les anciens.
Judas leur avait dit :
« Celui que j'embrasserai, c'est lui,
arrêtez-le ! »
Judas s'approcha de Jésus et il l'embrassa.
Les hommes d'armes le saisirent.
Alors Pierre tira son épée
et il coupa l'oreille d'un serviteur du grand prêtre.
Jésus leur dit :
– Chaque jour, j'enseignais dans le Temple,
et vous ne m'avez pas arrêté.
Et vous voilà, avec des épées et des bâtons,
comme pour vous saisir d'un bandit !

On emmena Jésus d'abord devant le grand prêtre, puis devant Pilate, le gouverneur romain, qui seul avait le pouvoir de condamner à mort un prisonnier. Pilate interrogea Jésus, et il voulait le libérer, car il voyait bien que cet homme n'avait rien fait de mal. Mais il eut peur de la foule qui criait : « À mort, à mort ! » Et Pilate livra Jésus pour qu'il soit crucifié.

La Crucifixion

Regarde ces trois croix dressées vers le ciel.

Jésus est au milieu, pieds et mains cloués sur le bois. On a posé une couronne d'épines sur sa tête. Le sang coule de ses blessures. À ses côtés, deux bandits, les bras attachés au-dessus de leur tête par des cordes. Tous trois ont déjà la couleur de la pierre. La mort approche.

Plusieurs personnes sont venues accompagner les suppliciés. Tout à fait à gauche, un homme prie. C'est Jean l'Évangéliste, un ami de Jésus. Une femme vêtue de noir s'écroule, écrasée de douleur. C'est Marie, la mère du Christ. Deux femmes doivent la soutenir. À droite, les soldats romains montent distraitement la garde. Deux d'entre eux jouent aux dés sur un bouclier. Le gagnant remportera la tunique du Christ.

Le soleil éblouissant éclaire chaque détail du paysage. Partout, les pierres se dressent. Les falaises et les rochers sont durs, tranchants, menaçants. Même Jérusalem, la ville fortifiée au fond à gauche, est hérissée de murs et de toits pointus. Sur le sol, autour des croix, les dalles commencent à se fissurer. Jésus meurt et, autour de lui, tout est rudesse et désolation.

Les petits secrets du peintre

Les trois hommes sont presque nus. Sous leur peau on devine les os, les muscles et les tendons. Le peintre a étudié l'anatomie, il a même assisté à des dissections. Son regard est celui d'un savant.

La route qui mène à Jérusalem est bien encombrée. Combien sont-ils à venir assister à la crucifixion ou à en revenir ? Difficile à dire, tant les personnages sont représentés petits pour montrer qu'ils sont loin.

La Crucifixion

Andrea Mantegna
Peintre italien
Padoue 1431 - Mantoue 1506

1457-1460, huile sur bois
76 x 96 cm
Musée du Louvre, Paris

La Crucifixion

Les soldats romains, pour se moquer, avaient habillé Jésus en roi, avec une cape rouge et une couronne d'épines. Puis ils l'emmenèrent à l'extérieur de la ville, sur une colline appelé Golgotha, « le lieu du crâne ». Là, ils le crucifièrent avec deux bandits, l'un à sa droite, l'autre à sa gauche. Ils se partagèrent ses vêtements. Mais pour ne pas déchirer sa tunique, ils la tirèrent au sort.

Or, près de la croix se tenaient Marie, sa mère,
et d'autres femmes qui le suivaient
quand il était en Galilée.
Voyant sa mère et, près d'elle, Jean,
le disciple qu'il aimait, Jésus dit à Marie :
– Femme, voici ton fils.
Puis il dit au disciple :
– Voici ta mère.
Et depuis cette heure-là, le disciple la prit chez lui.
Après quoi, sachant que tout était achevé,
Jésus inclina la tête et il remit l'esprit.

Comme c'était le jour de la préparation de la Pâque, pour que les corps ne restent pas en croix durant le sabbat, les Juifs demandèrent à Pilate de faire briser les jambes des condamnés. Les soldats vinrent donc briser les jambes du premier, puis du second des crucifiés. Arrivés à Jésus, voyant qu'il était déjà mort, ils ne lui brisèrent pas les jambes. Mais l'un des soldats, d'un coup de lance, le frappa au côté. Il en sortit aussitôt du sang et de l'eau.

La Résurrection

Regarde, le tombeau s'est ouvert dans la nuit.

Le Christ en surgit et monte au ciel. Son corps brille de mille feux. Son visage resplendit. Les contours de ses joues, de son front, de ses cheveux s'effacent. Ils se fondent dans le cercle de lumière jaune et orange qui l'entoure. Jésus devient translucide. Il lève les bras et ouvre ses mains pour réunir Dieu et les hommes. Sur ses paumes, les marques des clous brillent d'une lueur rouge. Elles nous rappellent que Jésus a été crucifié. Sur sa poitrine on voit la cicatrice rouge de la lance qui l'a transpercée. Le Christ a souffert, mais maintenant il est entré dans la gloire.

Désormais, il sourit, il est heureux. Trois hommes ont vu Jésus jaillir du tombeau. L'apparition du Christ les terrasse, sa lumière les aveugle. Ils tombent à la renverse. Ce sont pourtant des soldats, ils portent la cotte de mailles, le casque, le bouclier, l'épée et la hallebarde. Mais leur attirail de combattant ne les protège pas contre ce genre de choc. L'un d'eux s'est étalé de tout son long. Un autre, près du rocher, pirouette et culbute la tête en avant. Les soldats sont bien obligés de le reconnaître : cet homme, qu'ils ont tué il y a trois jours, est bien vivant. Près de la tombe, l'un des soldats tente de se relever. Peut-être veut-il changer de vie et suivre le Sauveur ?

Les petits secrets du peintre

Derrière Jésus, il y a un grand rocher carré. À droite du rocher, on distingue une colombe qui représente l'Esprit saint : c'est par la puissance de Dieu que Jésus jaillit du tombeau.

As-tu vu les incroyables changements de couleurs des vêtements du Christ ? Sa robe rouge vire au jaune vif. Son linceul blanc, qui sort de la tombe, bleuit, tourne au lilas, puis au violet et enfin au noir.

La Résurrection

Matthias Grünewald
Peintre allemand
Würzburg vers 1475 - Halle 1528

1513 - 1515, huile sur bois
269 x 141 cm
Retable d'Issenheim,
Musée Unterlinden, Colmar

La Résurrection

À l'endroit où Jésus avait été crucifié il y avait un jardin, et dans ce jardin un tombeau neuf, creusé dans le roc, où jamais personne n'avait été déposé. C'est là qu'on déposa le corps de Jésus, et on roula une pierre devant l'entrée. Les grands prêtres demandèrent à Pilate, le gouverneur romain, de placer des soldats pour garder le tombeau, car ils disaient : – Cet imposteur a déclaré : « Dans trois jours, je ressusciterai. » Fais donc garder le tombeau, pour que ses amis ne viennent pas prendre le corps et disent ensuite qu'il est ressuscité !

Après le jour du sabbat,
le premier jour de la semaine,
comme l'aube commençait à poindre,
il se fit un grand tremblement de terre.
L'ange du Seigneur descendit du ciel,
il roula la pierre et il s'assit dessus.
Il avait l'aspect de l'éclair,
et son vêtement était blanc comme neige.
Les gardes furent bouleversés d'effroi,
et ils devinrent comme morts.

Deux femmes venues au tombeau eurent très peur. Mais l'ange leur dit : – Vous, soyez sans crainte. Je sais que vous cherchez Jésus le Crucifié. Il n'est plus ici. Il est ressuscité, comme il l'avait annoncé. Allez dire à ses disciples : « Il est ressuscité des morts, il vous précède en Galilée. C'est là que vous le verrez. » Quand les grands prêtres et les anciens apprirent ce qui s'était passé, ils firent donner aux gardes une bonne somme d'argent avec cette consigne : « Vous direz que ses disciples sont venus pendant la nuit et qu'ils ont volé le corps pendant que vous dormiez. »

Les pèlerins d'Emmaüs

Regarde ces trois hommes attablés.

L'aubergiste vient de leur apporter leur repas. Ils n'ont pas encore commencé leur dîner, la volaille n'a pas été découpée et la corbeille de fruits est pleine. Mais le pain a déjà été rompu et distribué. Le jeune homme aux cheveux longs lève sa main droite pour le bénir. Il baisse ses yeux pour mieux se concentrer. Tout le monde le regarde avec stupéfaction. L'homme à la veste noire n'en croit pas ses yeux. Il prend appui sur les accoudoirs de son fauteuil et se penche en avant. Il veut se lever, s'approcher du garçon. À droite, son compagnon, qui porte la coquille des pèlerins, écarte ses bras. L'aubergiste, immobile, les mains accrochées à sa ceinture, fixe le jeune homme.

Que leur arrive-t-il ? Ils ont reconnu le jeune homme. C'est Jésus ! Il est ressuscité. Une lumière, violente comme un projecteur de cinéma, éclaire le visage et les vêtements du Christ. Le peintre veut que Jésus nous fascine comme il a fasciné les pèlerins. On dirait même que le coude de l'homme en noir et l'énorme main gauche du pèlerin de droite sortent du tableau pour venir nous chercher.

Les petits secrets du peintre

Nul ne sait à quoi ressemblait le Christ. La Bible ne le décrit jamais. La plupart des artistes l'ont imaginé maigre, barbu et fatigué. Pas le peintre de ce tableau : son Jésus est joufflu, jeune et sans barbe.

As-tu remarqué, sur la nappe blanche, le reflet de l'eau de la carafe ? Et les petites taches sur les pommes ? Et la manche déchirée du pèlerin à la veste noire ? Comme ces détails sont vivants et vrais !

Les pèlerins d'Emmaüs

Le Caravage
Peintre italien
Caravaggio 1573 - Porto Ercole, 1610

1601, huile sur toile
141 x 196 cm
National Gallery, Londres

Les pèlerins d'Emmaüs

Ce même jour, deux hommes faisaient route vers Emmaüs. Jésus s'approcha et marcha avec eux. Mais ils ne le reconnaissaient pas. Les hommes lui dirent leur tristesse : ils avaient espéré que Jésus de Nazareth était celui qui délivrerait Israël. Mais il avait été crucifié, et c'était déjà le troisième jour depuis que ces choses étaient arrivées.

Jésus leur dit alors :
– Comme vos cœurs sont lents à croire !
N'avez-vous pas compris
que le Messie devait passer par la mort
pour donner aux hommes la vie ?
Et il se mit à leur expliquer
tout ce que les prophètes avaient annoncé.
Quand ils arrivèrent au village, ils dirent à Jésus :
– Reste avec nous, car le soir tombe.
Comme il était à table avec eux,
Jésus prit le pain, le bénit, le partagea
et le leur donna.
Alors leurs yeux s'ouvrirent
et ils le reconnurent.

À cet instant, Jésus disparut de devant eux. Et ils se dirent l'un à l'autre : – Nos cœurs n'étaient-ils pas brûlants tandis qu'il nous parlait ?
Aussitôt, ils retournèrent à Jérusalem. Ils racontèrent aux compagnons de Jésus ce qui leur était arrivé, et comment ils avaient reconnu le Seigneur ressuscité quand il avait partagé le pain.

ANCIEN TESTAMENT

Lucas Cranach l'Ancien, *Adam et Ève* 9
Références bibliques : Genèse 2, 15-23 ; 3, 1-7.14.20-23

Isaak Van Oosten, *L'entrée dans l'arche* 11
Références bibliques : Genèse 6 - 8

Pieter Bruegel, *La tour de Babel* 17
Références bibliques : Genèse 11, 1-9

Rembrandt Van Rijn, *Le sacrifice d'Abraham* 21
Références bibliques : Genèse 15, 1-6 ; 21, 1-3 ; 22, 1-18

Diego Vélasquez, *Jacob recevant la tunique de Joseph* 25
Références bibliques : Genèse 37

Giovanni Francesco Romanelli, *Moïse sauvé des eaux* 29
Références bibliques : Exode 1, 8-21 ; 2, 1-10 ; 3, 1-10

Pierre Paul Rubens, *Samson et Dalila* 33
Références bibliques : Livre des Juges 13, 1-25 ; 16, 4-30

Nicolas Poussin, *Le jugement de Salomon* 37
Références bibliques : Premier livre des Rois 3, 3-28 ; 10, 1-9

Jonas englouti par le grand poisson 41
Références bibliques : Jonas 1 - 2

Eugène Delacroix, *Daniel dans la fosse aux lions* 45
Références bibliques : Daniel 6, 2-29

NOUVEAU TESTAMENT

Fra Angelico, *L'Annonciation* 49
Références bibliques : Luc 1, 26-38

Georges de La Tour, *L'adoration des bergers* 53
Références bibliques : Luc 2, 6-20

Le baptême de Jésus 57
Références bibliques : Matthieu 3, 1-3.11-17 ; 4, 1.17-25

Jules Meynier, *Jésus apaisant la tempête* 61
Références bibliques : Marc 3, 7-10 ; 4, 35-41

Le Greco, *Le Christ chassant les marchands du Temple* 65
Références bibliques : Matthieu 21, 1-16

Dierick Bouts, *La Cène* 69
Références bibliques : Matthieu 26, 17-28.36-39

Giotto, *L'arrestation de Jésus* 73
Références bibliques : Matthieu 26, 43-57 ; 27, 11-26

Andrea Mantegna, *La Crucifixion* 77
Références bibliques : Jean 19, 1-3.16-34

Matthias Grünewald, *La Résurrection* 81
Références bibliques : Matthieu 27, 57-66 ; 28, 1-15

Le Caravage, *Les pèlerins d'Emmaüs* 85
Références bibliques : Luc 24, 13-35

Impression et reliure : Pollina S.A. - 85400 Luçon
Photogravure : Sele Offset Torino
N° d'éditeur : 4910 - N° d'impression : 77817
Imprimé en France